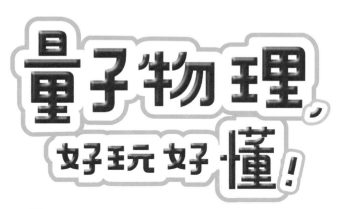

量子物理，好玩好懂！

① 时间旅行开始了

量子物理，好玩好懂！

好玩好懂！

①

时间旅行开始了

[韩] 李亿周◎著　[韩] 洪承佑◎绘　王忆文◎译

北京科学技术出版社

100 层童书馆

小朋友们，大家好。我是漫画家洪承佑。

我从小就很崇拜科学家。科学家研究宇宙万物（包括我们生活的地球）是如何形成和运作的。

假设我们面前有一个苹果，我们先将它对半切开，再分别对半切开，一直这样对半切下去，直到不能再切，会得到什么呢?

答案是原子。原子是构成物质的一种基本粒子。

量子力学研究的就是物质世界中像原子这样的微观粒子的运动规律。

早在古希腊时期，人们就对微观世界产生了疑问并充满了好奇。数千年来，科学家一直在研究原子，现在已经知道原子里面有什么，以及它们是如何运动的。但我们还需要进一步研究。

你们是否好奇历史上都有谁产生过疑问，以及他们分别是如何进行研究的? 让我们通过漫画来了解科学家研究科学现象的故事，一起学习原子世界的物理定律。在这套书中，我们的好朋友郑小多将穿越时空，带领你们去探究原子的世界。

大家准备好和小多一起走进肉眼看不见的微观世界了吗?

出发!

洪承佑

要是没有手机和电脑，大家的生活会是什么样的呢？也许你们会觉得好像回到了原始社会。

很多让我们的生活变得便利的科学技术都离不开量子力学。手机和电脑中半导体的工作原理就要通过量子力学来解释。

科学史上有两个年份是"奇迹年"。

第一个年份是1666年。这一年，牛顿发现了万有引力定律和牛顿运动定律，解释了苹果落地的原因和月球运动的规律。

第二个年份是1905年。这一年，爱因斯坦发表了通过光子解释光电效应现象的伟大论文，为量子力学的建立奠定了基础。

牛顿运动定律可以解释肉眼可见的宏观世界，而量子力学则可以解释肉眼看不到的微观世界。

完全理解量子力学是一件非常难的事。

但只要拥有好奇心，你们就可以了解物质是由什么构成的，以及微观粒子是如何相互作用的。

好奇心是科学进步的基石。这套书讲的就是那些怀着好奇心探索物质世界的科学家的故事。从古希腊哲学家德谟克利特到成功完成量子隐形传态的安东·蔡林格，我想借由这些对量子力学做出贡献的科学家的故事带领大家进入微观世界。

李亿周

目　录

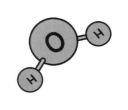

量子物理？
好想学，但感觉
好难……

什么？
竟然这么有趣？

这可是连小学生
都能看懂的
量子物理书。

登场人物

郑小多
物理小学五年级学生，
对一切物理知识都充满好奇

Mix
小多家的宠物狗，
贪吃的捣蛋鬼

小多的家人
相亲相爱的一家人，
聚在一起时到处是
欢声笑语

金敏书
物理小学五年级学生，
博学多识且好奇心强烈

德谟克利特

古希腊哲学家

（约前460—约前370）

罗伯特·玻意耳

英国化学家

（1627—1691）

安托万·拉瓦锡

法国化学家

（1743—1794）

约翰·道尔顿

英国化学家

（1766—1844）

德米特里·门捷列夫

俄国化学家

（1834—1907）

艾萨克·牛顿

英国物理学家

（1643—1727）

约翰·巴耳末

瑞士物理学家

（1825—1898）

西奥多·莱曼

美国物理学家

（1874—1954）

约瑟夫·汤姆孙

英国物理学家

（1856—1940）

欧内斯特·卢瑟福

英国物理学家

（1871—1937）

尼尔斯·玻尔

丹麦物理学家

（1885—1962）

第一话
奇迹般入选！

哇，来了！终于收到了！

来了，来了！

噔噔噔

Yeah, ah, What's up man?

Hey, yo! What's up man!

我收到《科学游学营》杂志了！

唰唰唰

啊，对了！这期要公布名单对吧？

抱着试一试的想法，小多申请参加游学活动，没想到竟然入选了。

水！水！

咕嘟咕嘟

我入选了……

我回来了……嚯！出什么事了？

哥哥中彩票啦。

什么？中彩票怎么能和它相提并论?!简直是侮辱我的智商！

咦，他醒了。

被选上啦？我正好要去瑞士出差，我们可以全家一起去。

耶！爸爸不愧是现代物理学研究所的研究员，好厉害！

小云肯定也很喜欢现代物理学吧？

抱

怎么不回答呢？

……

吧唧吧唧

本年度诺贝尔物理学奖的获奖者是英国的彼得·希格斯教授和比利时的弗朗索瓦·恩格勒教授。

科学新闻

公布时间比预定的晚了一小时……

吧唧吧唧

呃……彼得·希格斯教授在1964年，呃……提出在组成原子的12种基本粒子和……呃……

彼得·希格斯

……

在它们之间传递相互作用的4种粒子……一共16种粒子之外……

还有一种赋予这16种粒子质量的粒子……也就是第17种粒子……呃……

17 希格斯

好难啊……

他用自己的名字给这种粒子命名，叫它希格斯粒子……

可以表述得简单一些吗？

不……不行了……

嘶嘶

嘶嘶

好吧，请继续说。

呃……弗朗索瓦·恩格勒教授也在同一年提出理论，说明了希格斯粒子如何赋予其他粒子质量。

希格斯粒子的作用

弗朗索瓦·恩格勒

多年以前就提出理论，为什么现在才得奖呢？

虽然理论在1964年就提出来了，但直到2012年6月才得到了验证。

人们通过位于CERN地下的大型强子对撞机，也就是LHC进行了实验。

哇哈哈

CERN，等着我!

快闭上嘴! 别喷饭啦!

瑞士　法国

横跨两国的装置，这也太大了吧!

嘿嘿，这次去CERN可得好好展示一下我的实力。

啦 啦啦

那爸爸什么时候得诺贝尔奖呀?

嚯!

爸爸得不了吗? 为什么呢?

??

······

孩子，别问了······你以为他不想得奖吗?

向CERN所在的瑞士日内瓦出发!

高亢!

激昂!

他好奇怪……

您好……我有个问题。

科学家们为什么要找出世界上最小的物质呢?

那当然是因为……好奇啊!

转

吓

人类对物质构成的好奇心,从诞生之初就产生了。

真好奇里面是什么!

同学,你知道物质是由什么构成的吗?

这个嘛……

当然是原子了!

吧啦

哇,厉害!

耶!

啪

啪

不过,回答错误。

我晕!

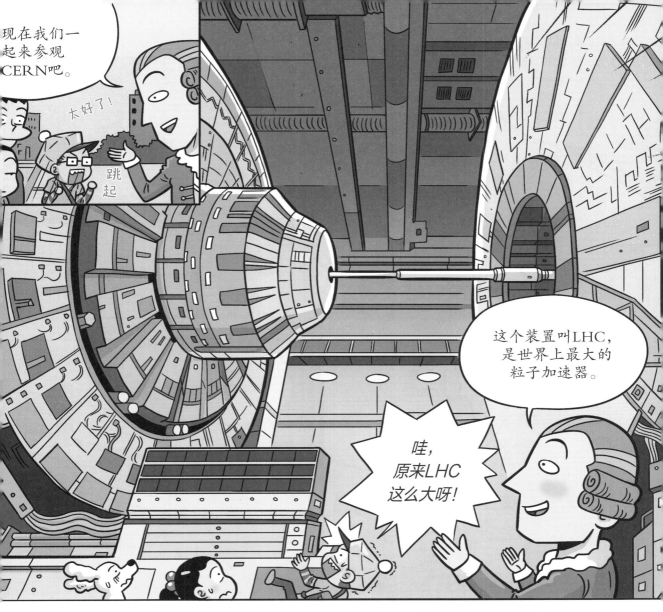

被加速到接近光速的粒子就在这根管道中运行。

我们通过让这些粒子互相碰撞来研究它们的构成。

咦，Mix跑哪儿去了？

Mix，不可以乱跑！

名字和希格斯博士挺像的，怎么只会闯祸？

！

闲杂人等
禁止入内

难道……
在这里面？

18

夸克？
那是什么呀？

夸克
是组成质子和中子
的粒子。

质子

原子　　原子核

夸克

夸克是非常重要的粒子，也是
量子力学这门新兴物理学的研究对象。

质子、中子、夸克、
量子力学……呃，
我晕了……

人们真的在很久以前
就对微观世界
展开研究了吗？

没错，
古希腊学者认为
世间万物都是
由水、火、土
和气组成的。

啊？那我们吃
的食物中也有土吗？

可水是由水分子
构成的，水分子
是由氢原子和氧
原子构成的！

H₂O

咕嘟　咕嘟

哈哈

嘻嘻

你们知道

什么是原子吗？

嘿嘿嘿！

德谟克利特
（约前460—约前370）

是的。但是古希腊
时期人们还不知道原子
是什么，虽然当时德谟
克利特提出了原子论。

哈哈哈!

哎哟……
这是
哪儿呀?

砰

爷爷,
这是哪儿啊?

哪儿?
原子构成的世界呗。

哈哈哈

原子?
那您在笑什么呢?

世界上的所有
物质不断分割
后得到的、不
可再分割的单
位就是原子,
嘿嘿嘿!

所以呢?

嘿嘿

原子的英文是atom,它
源自希腊语atomos,是
"不可分割"的意思。

可是这
有什么
好笑的?

人们无法理解
我这个伟大的想法,
这不,我只好无奈地
笑一笑!

哇哈
哈哈

哇哈
哈哈

可世界
确实是由原子
构成的啊……

难以置信的是，大部分人都相信他说的。

哈哈

因为我更有名呀！

咕嘟嘟。

水做的人

此外，比我大30多岁的哲学家恩培多克勒前辈提出了另一种主张。

物质的本原是水、火、土和气！

恩培多克勒
（前495—约前435）

啊！四元素说？

哇！你还挺聪明的！

哈哈！我像我爸……

经常听人夸我……

真乖！吃得真香。

嚼嚼

我这是在和谁说话啊！

大家好好想一想！万物怎么可能只由水组成呢？

是由水、火、气、土按一定的比例组合而成的！

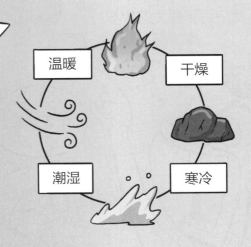

温暖

干燥

潮湿

寒冷

例如，我们的骨头是火、水、土按2:1:1的比例混合而成的。

原来如此。

嗯？听起来怎么有点儿像菜谱啊……

可是，单看水，就是由氢和氧构成的啊……

氢？氧？那是什么？能吃吗？

啊……没什么，没什么！

快别乱显摆了要是把历史搞乱了可怎么办？

总之，听了恩培多克勒的话，我得到了很大的启发。嘿嘿嘿！

骨头菜谱的比例有问题？

什么启发？

唰

物质不断分割下去，最终会得到什么呢？

这我怎么知道？！

咔咔咔

例如，把苹果对半切开，再对半切开。

咔嚓 咔嚓 咔嚓

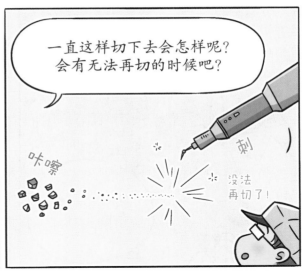

一直这样切下去会怎样呢？会有无法再切的时候吧？

咔嚓 刺 没法再切了！

原子

所有物质都由无法分割的原子构成，组合方式不同的原子构成了世间万物。

这时候得到的就是我说的"原子"。

这是把恩培多克勒四元素说中的水、火、气、土改成了原子！

没错！

原子是永恒不变的！

原子

长生不老！

嘿嘿 嘻嘻 哈哈

原子的数量是无穷无尽的！所以归根结底，宇宙中物质的数量也是无穷无尽的！

原子和原子之间有空隙，所以宇宙万物是由原子和空隙构成的！

这就是我的观点！哈哈哈！吼吼吼！

笑声越来越奇怪了……

但是人们根本不相信我说的！他们都相信恩培多克勒的四元素说！为什么会这样？

为什么？为什么？

您可以用实验证明给大家看嘛。

比起实验，人们觉得想法更重要……

唉

话说回来，你真是个聪明的小朋友。我很看好你。

我呢？

您过奖了……

嗖

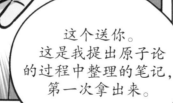

给

这个送你。这是我提出原子论的过程中整理的笔记，第一次拿出来。

哈哈哈哈！我要去旅行了！一边旅行一边思考宇宙的奥秘！

嗖

嗖

喂，您别丢下我自己走了啊

要是德谟克利特的原子论能早点儿被人们接受，那么物理学是不是就能更早发展呢？

有这种可能。原子论被四元素说掩盖，两千多年都没有发展。

咦，小多，你的脸色……怎么这么差？噎到了？

没……没事，没事。

天哪，德谟克利特爷爷的笔记真的在我手上！刚才不是在做梦！

嗝儿！

* 法国高速列车。

因为当时大多数人都相信四元素说。

不是吧，这么离谱的话也有人信！太让人无语了吧！

等等！我们坐错车了！这趟列车是去德国的！

啊？什么？那怎么办？

这么离谱的话你也信！太让人无语了吧！

不过，也正是因为有了四元素说，才有了原子论。

正式对四元素说提出质疑的人是罗伯特·玻意耳。

当然还有很多人也开始质疑。

怎么不对了……

总觉得哪里不太对……

恩培多克勒的灵魂

17世纪后期英国

难道说宝贵的金子和银子也是由水、火、气、土组成的？这可能吗？

可不是嘛！

还说铜和铅也是由这四种元素组成的！

这怎么可能！看来四元素说不可信！

感觉我已无立足之地……

偷偷摸摸

嗖

嚯！

物质的本原根本不是水、火、气、土，而是其他物质！

呼

吓我一跳

我一定要用实验来证明！

一定！

我该走了！嘿嘿……

实验？什么实验？

难道……是用刀把物质咔咔咔……切得很薄很薄很薄？

做出一把这样的刀更难吧……

不是用刀……玻意耳制作的是U形玻璃管。

U形玻璃管？

形玻璃管短的一端密封，长的一端则注入水银。这样，封闭的短管那头，气就会被压缩，体积就会减小。

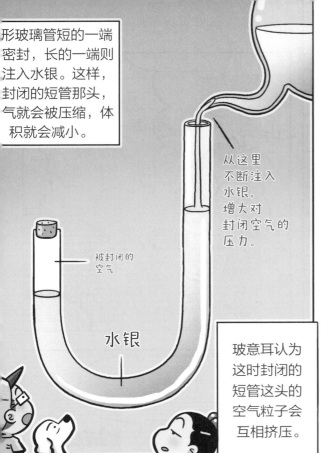

被封闭的空气

水银

从这里不断注入水银，增大对封闭空气的压力。

玻意耳认为这时封闭的短管这头的空气粒子会互相挤压。

这就好比……房间里有一些人稀稀拉拉地待着……

挤死人了……哦，不对，应该是挤死空气了！

随着空间变小，人都被挤在了一起。

没错！很棒的比喻！

在四元素说中，空气的体积也会缩小吗？

四元素说认为真空是不存在的，空气也无法被压缩。

最终，玻意耳通过这个实验发现了一条非常重要的定律！

空气的体积会随着压力的增大而减小！

好好，你说的都对！快放我们出去！

这就是玻意耳定律！

咕咚 咕咚

喂，郑小云！你怎么就知道自己喝？我也要喝！

舔舔

太小气了吧！竟然使用口水战术！

你以为这样我就不能喝了？

一把抢过

咕咚 咕咚 咕咚

啊，太恶心了！

哈啊！

嗝儿

真没风度！

咦，这不是普通的水，好像是苏打水。

水、二氧化碳……液体和气体混合……

嗡

那就等水凉一点儿洗个澡吧！

别脱啦！赶快把裤子穿上！你们到底是哪里来的？

挠
挠

我们从韩国来。

嘘！别乱说！

韩国？那是哪儿？我怎么从来都没听说过这个国家。

总之，我正跟爸爸讨论罗伯特·玻意耳和原子论呢……不知怎么就来到这里了……

你竟然知道罗伯特·玻意耳先生。看来我们还是有共同语言的。

您也认识玻意耳？

当然了！我和玻意耳先生一样，也认为四元素说是错误的。

恩培多克勒

又在攻击我！

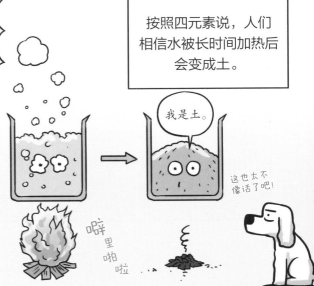

按照四元素说，人们相信水被长时间加热后会变成土。

我是土。

这也太不像话了吧！

噼里啪啦

因为人们发现，只要有水植物就可以生长，所以认为水会变成土。

看，生根了！看来水和土是一样的！

好像也说得通……

洋葱

连玻意耳先生也说过类似的话。

水被烧干后会变成固体。

这些固体就是水变成的泥！

过于自信了吧……

但是我对此有点儿怀疑。

所以我决定用实验来验证！

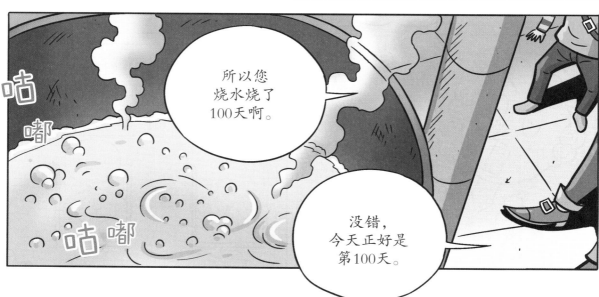

所以您烧水烧了100天啊。

没错，今天正好是第100天。

咕嘟

咕嘟

嗞

嗯，已经烧干了。水完全不见了。

惊讶

啊，容器里面有固体！

晕！这不可能！

咦？

看来水烧干确实会产生固体！

惊讶

铲铲铲

难以置信！

你该不会真信了吧？

快去那边把天平拿过来！

好的！

真积极……

哇哈哈！

噔噔噔

嘎吱嘎吱

太兴奋了吧！

40

归根结底，物质不会生成或消失，只是改变了形态！

对对对……

举起

化学又不是魔术。

验前后质没有任何化！

总质量保持不变！这就是质量守恒定律！

这是拉瓦锡提出的唯一的定律。

哈哈，太棒了！我有东西给你看！

?

泰勒斯认为水是万物的本原。

四元素说认为水是万物的本原之一。

但我不这么认为。我认为水一定由更小的元素组成。

我已经用实验证明了！

唰

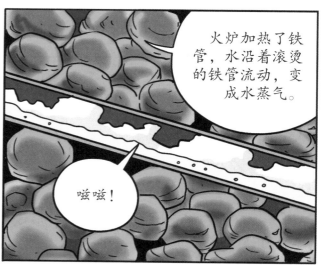

因此，水也是由其他元素组成的！

氧

氢

氢

四元素说和恩培多克勒，拜拜！

赶紧走

你看，这些都是我通过实验发现的。

哇！

铜　铅　硫黄　硅　氧化镁　铝

现在我明白为什么人们称您为"现代化学之父"了。

什么父？我还没孩子呢。

不是……啊，没什么啦。

嘘！

啪

布谷！布谷！

当

当

当

哎呀，我得去皇家学会演讲了，要迟到了！

44

在这么平稳的列车上也晕车……唉，也太弱了吧！

我才没有晕车呢！

现在的男生可真没用。

总觉得有点儿不放心……

男生们有时候真的很傻。

简直就是像变形虫一样的单细胞生物……

哥哥也不例外。

一小时后

多细胞女孩，嘴被吸在瓶子里一个小时的感受不错吧？

呜嘤嘤嘤嘤……

瓶中空气减少，压强变小，所以嘴被吸住了！嘿嘿。

第三话
跨越海峡去见道尔顿

好，巴黎之旅结束了。现在我们继续出发！

呼，总算拔出来了。

嗡 嗡 嗡

嘭 呜 呜

再也不做这种蠢事了……

总之，拉瓦锡是一位百年一遇的科学家。

她说数学家拉格朗日说过类似的话。

哇！你怎么能听懂小云的话？

因为我是妈妈呀！爸爸妈妈都能听懂。

啊呜啊呜呜呜……

嗯？你说什么？

云，你也百年遇，只不过是年一遇的捣蛋。嘴肿成这样说个没完……

呜呜啊呜啊……

她让你闭嘴。

拉瓦锡51岁时被送上了断头台。

嗖 嗖

啊，我还有很多实验没来得及做呢。

拉格朗日

他们一眨眼就可以把他的头砍下来，但他那样的头脑100年也难再长出一个！

那又要等100年吗?

天哪！要等到猴年马月……

幸运的是，很快就有一位名叫道尔顿的科学家出现了。

大家好。

哈哈，我的预言不准?

哇，这个名字挺有意思。

有什么意思?

?

听起来像"多少吨"。

多少吨

哇哈哈

还有牛顿，
有点儿像"牛炖"。

哎哟喂，
笑得
肚子疼！

你们也太无聊了
吧……好想快点
儿上船……

船？
为什么
要坐船？

你看外面。

哇!

大巴直接
开上船了!

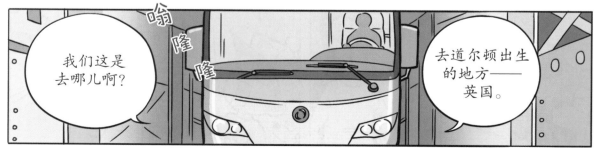

我们这是
去哪儿啊?

去道尔顿出生
的地方——
英国。

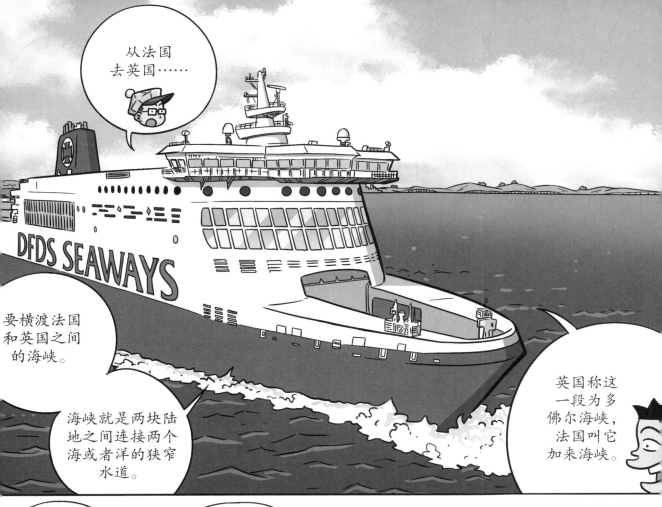

从法国去英国……

要横渡法国和英国之间的海峡。

海峡就是两块陆地之间连接两个海或者洋的狭窄水道。

英国称这一段为多佛尔海峡，法国叫它加来海峡。

哇，35千米的话很近啊，还不及全程马拉松的距离。

总算消肿了，能好好说话了……

哈哈

加来，多佛尔……为什么要取两个名字啊？好复杂。

合起来叫"加多海峡"多好！

咻呜呜

呜啊啊啊！

我也有事问你。

嚯！问我？问什么？

你看这双袜子是红色的吗？不是灰色的？

灰色？说什么呢，当然是红色啊。

我看到的是灰色。

狗无法看见红色。

一小时前

妈妈，祝您生日快乐！这是送您的礼物。

道尔顿，你为妈妈准备礼物了？

天哪，好漂亮的红袜子。道尔顿，谢谢你！

呃，奇怪。我买的是灰色的啊……

你说什么？你说这是灰色？

您太会开玩笑了，您一定在逗我。但是看在您过生日的份儿上，我就不计较啦，嘿嘿！

！

点头

道尔顿，在你眼中这双袜子真是灰色的？

12! 53! 好有趣!

这个呢?

色盲检查图难道就是体检时看的那个?

啊!对了,正好我把色盲检查图用手机拍下来了。

你想干什么?

你在看什么?

道尔顿老师,颜料、笔和纸借我一用!

?

你……你去哪儿?

我很快就回来!

嗖

喂,你到底要干什么?

30分钟后

你刚才干什么去了?

呼哧

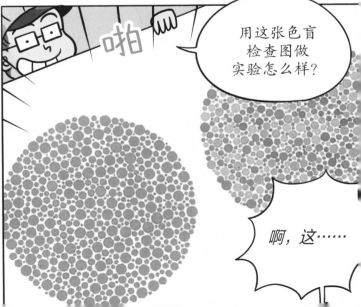

啪

用这张色盲检查图做实验怎么样?

啊,这……

你听说过法国的拉瓦锡吗？

闪亮 登场

还记得我吗？

当然啦，说到拉瓦锡自然要说到质量守恒定律喽！

哈哈哈

自信心爆棚

化学反应前后质量保持不变的定律嘛！

哈哈

我教得真好！

哦？很厉害嘛！

法国科学家普鲁斯特提出了定比定律。

定比……？那是什么？能吃吗？

普什么特？

定比定律指的是，每种化合物都有完全确定的组成和固定的质量比例。

举个例子。

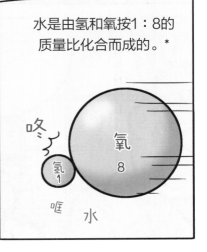

水是由氢和氧按1∶8的质量比化合而成的。*

咚

氢1

氧8

咂

水

* 实际上，水分子由一个氧原子和两个氢原子构成。为方便理解，上图只简单体现了质量比。

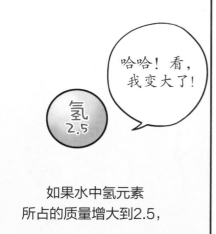

如果水中氢元素
所占的质量增大到2.5,

哈哈！看，
我变大了！

氢
2.5

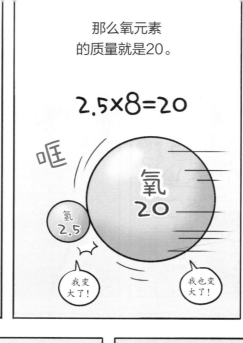

那么氧元素
的质量就是20。

$2.5 \times 8 = 20$

哐

氧
20

氢
2.5

我变
大了！

我也变
大了！

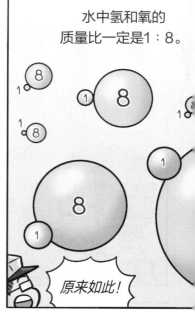

水中氢和氧的
质量比一定是1∶8。

原来如此！

还有！
罗伯特·玻意耳
提出，所有物质
都由微小的
粒子构成。

嘿嘿！

这又有什么
关联呢？

嗖

质量守恒定律

微粒说

定比
定律

当

当

唰

我在前人研
究的基础上
提出了"道
尔顿的原
子论"！

道尔顿的
原子论！

本人——
道尔顿的
原子论如下！

哇！

第一，所有物质都由原子构成，原子是不可再分的粒子。

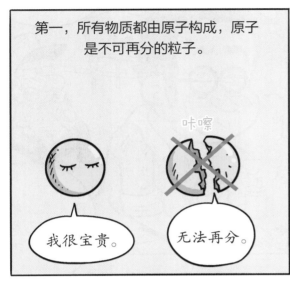

咔嚓

我很宝贵。

无法再分。

第二，同一元素的原子大小、质量、性质相同，不同元素的原子大小、质量、性质各不相同。

咦？

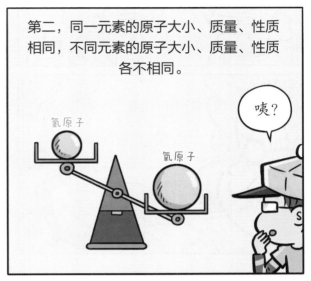

氢原子

氧原子

即便是同一元素，还有质量不同的同位素呢……

不，没有！

第三，化学反应中，原子只改变位置，并不会消失或变成其他元素的原子。

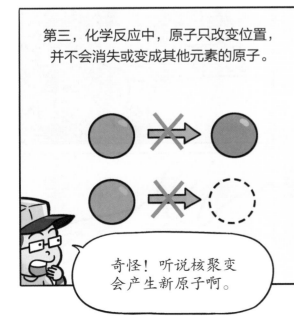

奇怪！听说核聚变会产生新原子啊。

你听我说！

最后一条，不同的原子按照一定的比例组合成新物质。

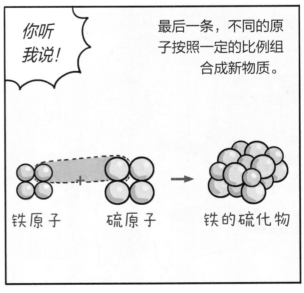

铁原子

硫原子

铁的硫化物

我看，好像就最后一条是对的。

哼哧

好，好！你说的都对！

晕

抱歉……我太激动了。

你可以提出异议。科学家就该像你一样不断提出疑问，这样才能更好地探索宇宙。

没关系，能提出这些已经很了不起了……

德谟克利特的原子论是凭借想象提出的。

而我的原子论是实验验证过的！

哦……我们那时候实验并不重要，看来时代变了啊。

您都做了实验了？

是啊，过来看看。

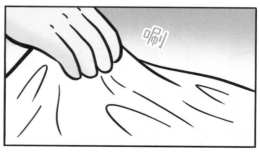

唰

哇，这么多仪器！

我一直在做实验，想证明原子论是正确的。

结果终于发现了这个。

什么？

就拿这两瓶气体来说吧，一瓶是一氧化碳，一瓶是二氧化碳。

一氧化碳是CO，二氧化碳是CO_2……

两种物质所含氧元素的质量比是1：2。

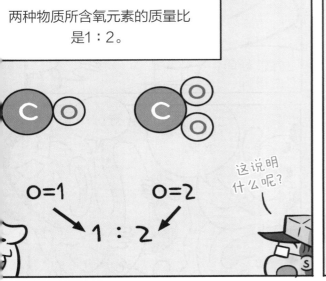

这说明什么呢？

O=1　　　O=2

1：2

不是1：1.5也不是1：2.3，而是整数比，前后项是像1、2、3这样的整数！

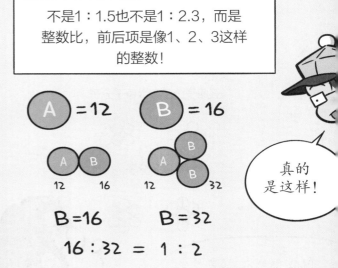

A =12　　B = 16

B=16　　B = 32

16：32 = 1：2

真的是这样！

咦？

他怎么突然不见了？

嗖

对不起，老师。我迟到了！

嗯，你说什么？

？

啊……？

那刚才那个小孩是谁？

嗖

总之……

道尔顿的原子论有不少错误。

细嚼慢咽

但是意义重大。

没错。

道尔顿认为原子无法再分，但科学家们后来发现，原子由更小的粒子构成。

质子

夸克

原子

原子核

他还认为同一元素的原子大小、质量、性质相同，不同元素的原子大小、质量、性质各不相同。

但其实同一元素也有质量不同的原子存在。它们互为同位素。

氢的同位素

氕

氘

氚

⊕ 质子
⬤ 中子
⊖ 电子

他还说，发生化学反应时，原子不会生成或消失，也不会变成其他原子……

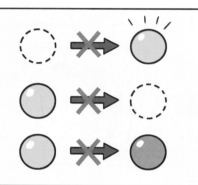

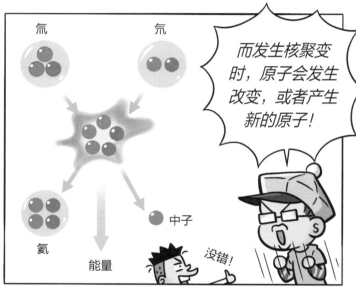

氚　　氘

而发生核聚变时，原子会发生改变，或者产生新的原子！

氦

中子

能量

没错！

就像氢原子聚变成氦原子，对吧？

呼呼

哇，小云真棒！

总之，道尔顿的说法很多都是错的。

呼！

不过，他整理原子论的功劳还是很大的。

嗡　隆　隆

错啦！错啦！

多亏了道尔顿的原子论，后来的科学家们才发现了原子的更多特性。

又有新发现了！

科学家们还明确提出了原子的模型……

呼

最终促成了量子力学的出现。

量子力学终于……

突然变严肃？

又……又来……！

啪

第四话

酸酸甜甜的蜂蜜芥末……拌饭?

轰 隆 隆

在欧洲旅行时发生的事……都是真的吗?

爱笑的哲学家德谟克利特……

烧了整整100天水的拉瓦锡……

咕嘟 咕嘟

患有色盲的道尔顿……

学会克服困难也是旅行的意义。

爸爸你也穿越几次试试。说得这么轻松……

哎呀，来都来了，要是顺便去趟意大利看看古建筑、逛逛博物馆多好。

啊对……她很喜欢意大利。

对不起啊，老婆。下次旅行我们一定去意大利玩。

一时忘了……下次一定要去。

谢谢你，老公。

这次已经玩得很开心啦……

呃，妈妈，我都喘不上气了，考虑一下我好吗……

咯噔咯噔

啪

！

单身男

请问您想吃什么？我们有拌饭和牛排。

肚子好饿

一看到吃的就流口水，瞧他那样儿！

嘿嘿……我要拌饭。

我要牛排。

我要拌饭。

我也要拌饭。

哼哼

这是虐待! 为什么我要坐在行李舱? 侵犯动物权利啊!

汪汪!

四元素说!

原子论!

元素!

爸爸,原子和元素的区别是什么? 我不太懂。

原子是组成物质的基本单位,而元素是具有相同质子数的同一类原子的总称。

更不明白了……

这里有2个苹果、3个梨、5个柿子。

我以它们为例来说一说原子和元素的区别吧。

我要吃苹果!

啪

别碰！我在讲解呢！

苹果有毒，别吃……

噢，好的！我是白雪公主……

……

嗝

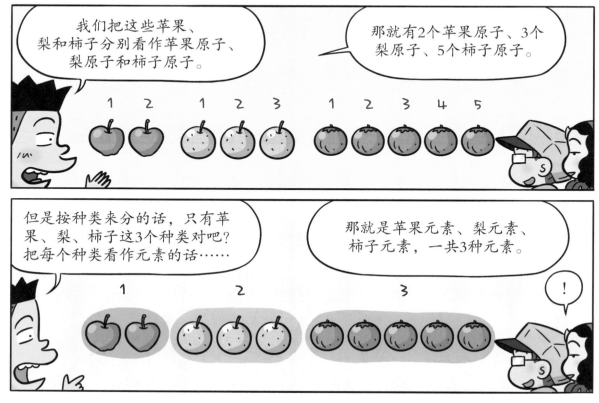

我们把这些苹果、梨和柿子分别看作苹果原子、梨原子和柿子原子。

那就有2个苹果原子、3个梨原子、5个柿子原子。

1 2　　1 2 3　　1 2 3 4 5

但是按种类来分的话，只有苹果、梨、柿子这3个种类对吧?把每个种类看作元素的话……

那就是苹果元素、梨元素、柿子元素，一共3种元素。

1　　　2　　　　3

！

嗯……水由水分子构成，水分子由氢原子和氧原子构成。

没错。

那么可以说，水是由氢元素和氧元素组成的。

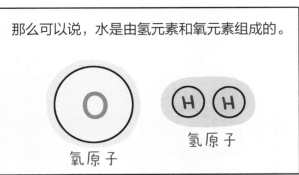

氧原子

氢原子

1个水分子由1个氧原子和2个氢原子构成。

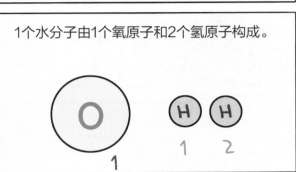

答对啦，理解得很对！这就是元素和原子的区别！所以说……

挤挤

！

啪

天哪，这是什么怪味?!

嘿嘿，这叫传统美食走向世界。蜂蜜芥末拌饭——我把这袋酱拌进去了。

这里这样就可以了，不用再打扫了。

晕，又脏又乱……

我刚才做了一个很重要的梦。你别妨碍我，快出去吧！

梦……？

挥手

在梦里，我看到了我一直在研究的元素表。

我该站哪儿？

看齐！

排好队！

元素表？

K Ca P B Ti F W N Rn O Pb

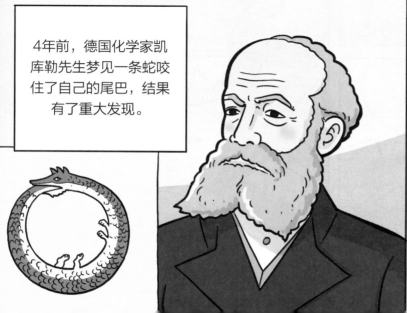

4年前，德国化学家凯库勒先生梦见一条蛇咬住了自己的尾巴，结果有了重大发现。

梦见蛇……那是胎梦吗？

示生要个女儿 预生大儿

夫人怀孕了……

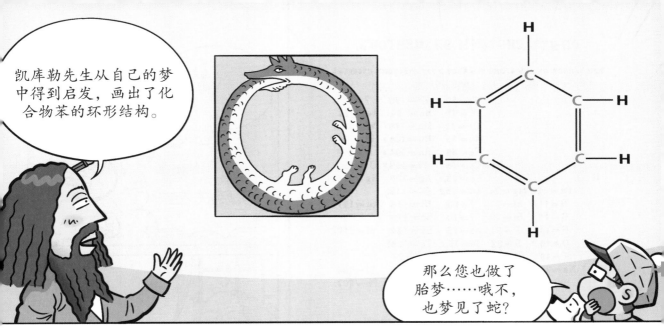

ОПЫТЪ СИСТЕМЫ ЭЛЕМЕНТОВЪ.

ОСНОВАННОЙ НА ИХЪ АТОМНОМЪ ВѢСѢ И ХИМИЧЕСКОМЪ СХОДСТВѢ.

	Ti=50	Zr=90	?=180.
	V=51	Nb=94	Ta=182.
	Cr=52	Mo=96	W=186.
	Mn=55	Rh=104,4	Pt=197,4.
	Fe=56	Rn=104,4	Ir=198.
	Ni=Co=59	Pl=106,6	O=199.
H=1	Cu=63,4	Ag=108	Hg=200.
Be=9,4 Mg=24	Zn=65,2	Cd=112	
B=11 Al=27,4	?=68	Ur=116	Au=197?
C=12 Si=28	?=70	Sn=118	
N=14 P=31	As=75	Sb=122	Bi=210?
O=16 S=32	Se=79,4	Te=128?	
F=19 Cl=35,6	Br=80	I=127	
Li=7 Na=23 K=39	Rb=85,4	Cs=133	Tl=204.
Ca=40	Sr=87,6	Ba=137	Pb=207.
?=45	Ce=92		
?Er=56	La=94		
?Yt=60	Di=95		
?In=75,6	Th=118?		

Д. Мендѣлѣевъ

这——就是元素周期表！

元素周期表……

难道，您就是门捷列夫先生？

你是新来的清洁工，不认识我也正常。

那这里就是俄国！

虽然许多学者都在按照元素的性质整理规律……

但我的方法是最科学的！

耶

耶

嘿哈！

俄罗斯传统舞蹈

唰唰

可是……我见过的元素周期表比这个复杂，元素的种类也比这上面的多……

又，又来！乱说话的毛病又犯了！

你说什么？到目前为止已发现的63种元素都在这里了！

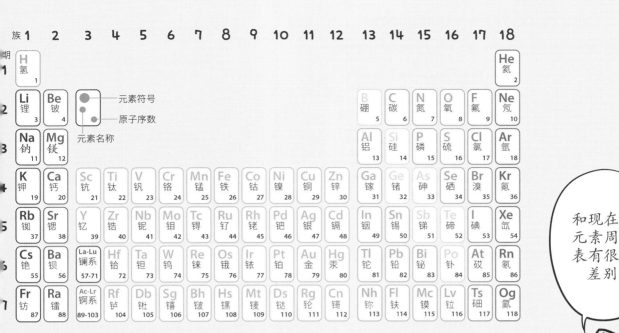

但我觉得您的周期表看着有点儿乱。

那，你看这样如何？

以我用红线框起来的部分为例，性质相似的锂、钠、钾、铷、铯排在同一行。

	Gruppe I. — R²O	Gruppe II. — RO	Gruppe III. — R²O³	Gruppe IV. RH⁴ RO²	Gruppe V. RH³ R²O⁵	Gruppe VI. RH² RO³	Gruppe VII. RH R²O⁷	Gruppe VIII. — RO⁴
1	H = 1							
2	Li = 7	Be = 9.4	B = 11	C = 12	N = 14	O = 16	F = 19	
3	Na = 23	Mg = 24	Al = 27.3	Si = 28	P = 31	S = 32	Cl = 35.5	
4	K = 39	Ca = 40	— = 44	Ti = 48	V = 51	Cr = 52	Mn = 55	Fe = 56 Co = 59 Ni = 59, Cu = 63.
5	(Cu = 63)	Zn = 65	— = 68	— = 72	As = 75	Se = 78	Br = 80	
6	Rb = 85	Sr = 87	?Yt = 88	Zr = 90	Nb = 94	Mo = 96	— = 100	Ru = 104, Rh = 104, Pd = 106, Ag = 108.
7	(Ag = 108)	Cd = 112	In = 113	Sn = 118	Sb = 122	Te = 125	J = 127	
8	Cs = 133	Ba = 137	?Di = 138	?Ce = 140	—	—	—	— —
9	(—)							
10	—		?Er = 178	?La = 180	Ta = 182	W=184		Os = 195, Ir = 197, Pt = 198, Au = 199.
11	(Au = 199)	Hg = 200	Tl = 204	Pb = 207	Bi = 208			
12				Th = 231		U = 240		

以后我会整理成这样。

嗯，这样看着好多了。

实际上这是两年后，也就是1871年才出现的周期表。

这是漫画你们不要较真！

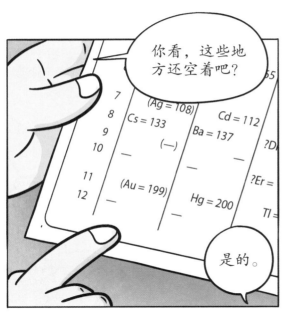

你看，这些地方还空着吧？

是的。

这是以后会发现的元素的位置。我们的子孙后代一定会把它们填上的！

嗯……根据门捷列夫的周期表，后来的科学家们预测并发现了更多的元素。

全都填满

小朋友，你的梦想是什么？成为世界上最棒的清洁工吗？

才不是呢！

我的梦想是当科学家！

啪

哦，那现在可不能浪费时间！快去学习！

呃，我在这儿也可以学习啊！

刷

这个你拿着吧。这是我论文的复印件。

给

希望对你有帮助。

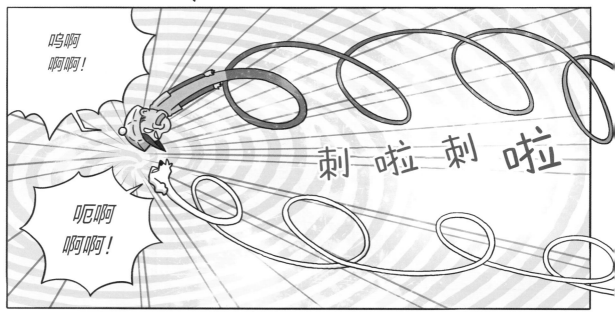

不错嘛!

刚看完回来,当然知道喽……

那么现在有多少种呢?

现在有118种。也许未来人类还会发现新的元素。

轰轰

哇,118种!差不多是门捷列夫那时候的两倍!

我有一个愿望。

别说了。

别说!

妈妈,发现下一种新元素的会是爸爸吗?

会的!

别说了!

她们这样真的让我压力好大……

爸爸真的太厉害了!

拍

拍

天然存在的元素共有90多种。这些被称为自然元素。

其他元素是人工合成的。

门捷列夫发表元素周期表时，人们的反应很平淡。

这张表中竟然还有空位！想象力也太丰富了吧？

真是荒诞可笑。

未来一定会有新元素被发现！

果不其然，1875年镓元素被发现。

1879年，钪元素被发现。

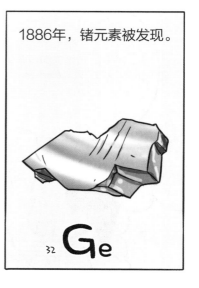

1886年，锗元素被发现。

这些元素的性质和门捷列夫预言的完全相同。

这下信了吧？

信了！

之后也一直有新元素被发现……

直到第92号元素铀被发现。

更重要的是，按照门捷列夫的元素周期表，人们开始了解元素的性质。

噢，天哪！

原来这种物质是由两种元素组成的！

这为之后研究原子的结构奠定了重要的基础。

就像剥洋葱一样！

哼哧！

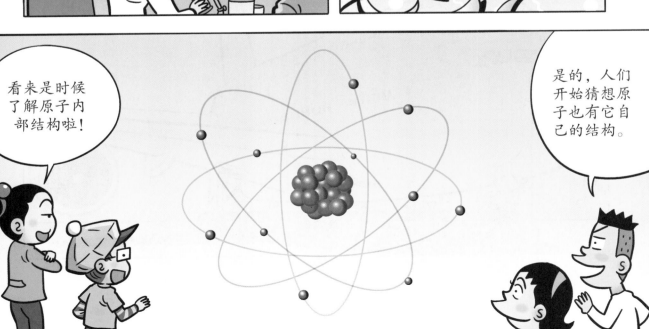

看来是时候了解原子内部结构啦！

是的，人们开始猜想原子也有它自己的结构。

从那时起，科学家们开始研究原子的性质和结构。

这把钥匙也不对……

好不容易到了这一步……！

原子的秘密

一定要搞清楚！

人们坚信，原子的世界一定也有自己的定律……

……

……

哎哟，眼睛疼。

瞪得太用力了。

韩国
仁川机场

第五话
彩虹那一端的她

这里是生态研究所的生态园。今天我们将在这里参观学习。

好棒!

哇!真棒!

我老穿越一定是触发了什么导致的。我得查清楚!

我是带领大家参观的老师。我叫生代。

生代?

好有趣的名字!

您名叫生代,那姓什么呢?

古生代

嗖

哇,古生代!

那中生代和新生代老师在哪儿呀?

哈哈……真幽默……

这里是热带馆。

哇，太酷了！

你现在看到的是电……

这是电鳗吧？

是的，它叫电鳗。这种鱼主要生活在南美……

南美洲的亚马孙河。身长大约2米！

据说输出的电压最高可达860伏！

能让马那样的大型动物触电。

没错，这就是我想说的……

她又开始了……

让我想想……

穿越好像经常发生在我吃东西的时候……

89

难道是饭有问题？

思想者

但是我回到韩国后，吃了饭也没事啊。

再来一碗！

哎哟！

古生代老师，请问还有其他鱼会放电吗？

噢，不错！这是个好问题。

当然有啦。电……

电鲇和电鳐！

唰

嗬！吓我一跳！

电鲇主要分布在非洲的大江大河中，电鳐在黄海和渤海比较常见。它们都能释放400伏左右的电压。

我又没问你……

我说得对吧？

对……

古生代

现在我们出去看看吧。

哇，第一次亲眼看见白鹳！

90

白鹤是……

韩国第199号天然纪念物，是濒临灭绝的一级保护动物！

唰

我在欧洲吃的都是西餐！难道……是吃西餐引发了穿越？

可是在飞机上吃了拌饭后也穿越了啊！天哪，到底怎么回事啊？

体长100~115厘米，体重5千克左右。

我是谁……

而且，在加来海峡穿越的时候明明什么也没吃啊！

她好烦。

我是谁？这是哪儿？是谁在远处召唤我？

有点儿像歌词……

翅膀边缘是黑色的，腿是红色的……

啊，头好痛！别吵了！

刺刺刺

总之我刚才不是冲你喊，是因为头疼。

头疼？现在没事了？

希望你别误会。

看到彩虹好多了……

你……比看起来聪明……

嗯，我是挺……

喂，我看起来怎么了？！

彩虹是光绘制的美丽作品。光真是艺术家啊……

同一时间

哇，果然还是家里最舒服！一出门就累得像条狗。

啊不对，我本来就是狗。哈哈！

看这姿势和表情，Mix这家伙真以为自己是个人了。

喂，Mix！你又睡了？

好困！

抖

同一时间

咩——

其实我更喜欢双彩虹。都说向它许愿，愿望就能成真。

你居然这么迷信！

怎么，当科学和迷信结合，你不觉得更美了吗？

宇宙就是万物……

的结合啊啊啊啊啊……

咻

呜

呜

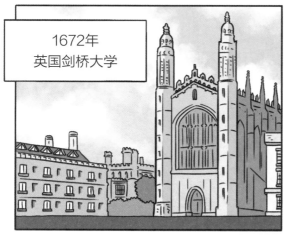

您一个人嘟囔什么呢?

嗖

吓我一大跳!

你,你是谁!

等下……这位我好像在书里见过……

啊,艾萨克·牛顿!

自带光芒!

咚

万有引力定律

我叫郑小多,听说您非常博学,我有问题想请教您……

是吗?我是挺博学的。你想问什么?

呃……这个……啊,彩虹!

你运气真不错。我正好在做关于光的实验。

哇！用三棱镜可以制造出彩虹？！

是的，太阳光穿过三棱镜，被分解成各种颜色的光，就形成了彩虹。

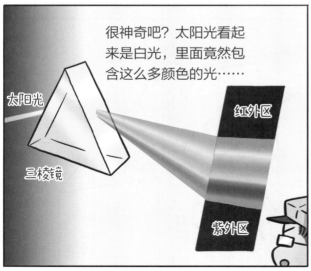

很神奇吧？太阳光看起来是白光，里面竟然包含这么多颜色的光……

太阳光

三棱镜

红外区

紫外区

天空出现彩虹意味着天上有个三棱镜……

可以这么说。

这不可能啊。

我好饿！

光分解后按照顺序排列成的光带叫光谱。

红 橙 黄 绿 蓝 靛 紫

但是氢、氦、钠等原子发光形成的光谱是不连续的。

钠
锂
锶
锌

这种光谱被称为线状光谱。

因为光谱由断断续续的线组成……

啊，太阳光中竟然藏着那么多颜色的光，真是个小可爱♥！

我饿了……

好肉麻
……

！

咕
噜
噜

喂！你太破坏气氛了！

该生气的是我……我又不想来这里！

咬牙切齿

霍，有动静了！

咕噜噜噜噜噜噜噜噜

这种紧急时刻反而不穿越了！快把我送回吃下饼干之前吧！

噗

噗 噗

噗 噗 噗

一塌糊涂！

我……我得继续做实验了，你要是问完了就赶紧走吧……

好的。

咻呜呜

啊——

是要回到吃饼干之前吗？

快点儿！

嗖

回到家了吗？

好像是吃饼干之前！

扑通

1885年 瑞士

你是谁？

我来向您请教问题……

站起

肚子还是很痛，看来不是吃饼干之前……

我刚刚见过牛顿先生。

什么？刚刚？现在是1885年，你见到了十七八世纪的人？

把我送回去吧……

啊，这样啊！

不，不是！我刚读了他的书……

嗯，沉浸在书里确实会让人感觉像是和作者见了面……

认识一下吧，我是物理学家约翰·巴耳末。

巴耳末先生我叫郑小多。

咕噜咕噜咕噜

我正在研究光谱。

刚才牛顿说的光谱!

啊对，我就是想请教这个。光谱!

往这支玻璃管里注入氢气，两端通电后玻璃管会发光。

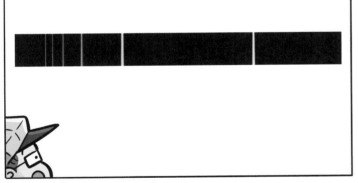

把这种光分解后得到了线状光谱。

这是氢气通电后的结果，因此该线状光谱来自氢原子……

问题是为什么会出现断断续续的光谱呢。

氢原子内部一定发生了什么!

德国物理学家弗里德里希·帕申也在做相同的研究，他发现在肉眼看不到的红外区也有发光现象。

感觉前进了一大步呢！

？

关于什么？

原子的秘密。

是的，我相信总有一天我们能解开原子内部的秘密！

坚定

啪

实在忍不住了

噗——

飘

飘

比起原子的秘密，貌似得先搞清楚这股强烈臭味的秘密……

哎哟

害得我都无法专心做研究了……

找出他是谁!
绘图方块逻辑游戏

1 数字表示横向或纵向上黑方块的个数。请按照给出的数字,将相应的方块涂黑,并确保在横向上和纵向上都成立。确定不涂的方块可以画上X。

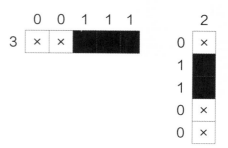

2 同一行或同一列有两个以上(包括两个)的数字时,要求至少空一格涂色。

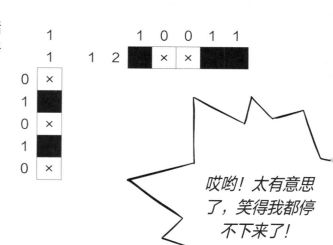

哎哟!太有意思了,笑得我都停不下来了!

3 按照以上规则,试一试吧!涂出心形图案就成功了!

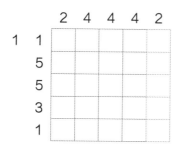

答案见第192页。

第六话
让人兴奋的春天到来了?

您……
您是哪位?

天哪!
竟然是三
连穿……

而且每次都
升级……

1906年
美国哈佛大学
研究室

我是物理学家
西奥多·莱曼。

不，等等!
应该我问你啊。

你是谁?
为什么随便进入
我的研究室?!

晕 咣 当

我叫郑小多……刚见过巴耳末先生……

什么？巴耳末老师？

喂！

你竟然说谎！他去世都多久了！你，是来推销东西的骗子吧？

啪

不，不是的。我是说我刚去过他的墓地……

郑小多越来越会编了……

我……我非常尊敬他！

噢，是吗？

我也是。我正好在研究他曾经研究过的氢原子线状光谱。

呃，是的……

噢，那你是因为尊敬研究原子的科学家，所以特地来找我的吧！

对对！就是这样！

哎哟，倒会顺水推舟了。

那么……关于线状光谱，您有什么重大发现吗？

这个嘛……

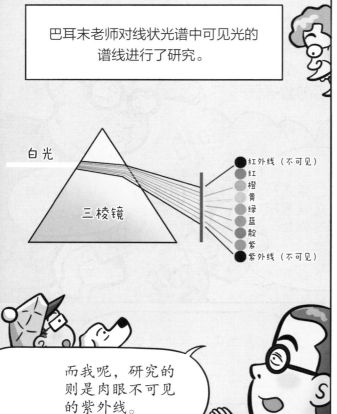

巴耳末老师对线状光谱中可见光的谱线进行了研究。

白光

三棱镜

红外线（不可见）
红
橙
黄
绿
蓝
靛
紫
紫外线（不可见）

而我呢，研究的则是肉眼不可见的紫外线。

德国物理学家帕申在研究红外线，听说他发现了特别的现象。

天哪，你连这个都知道！挺聪明的嘛。

我确实挺聪明……

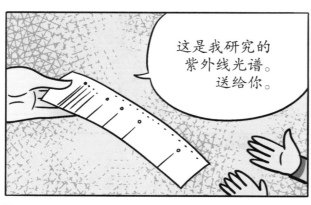

这是我研究的紫外线光谱。送给你。

唉！完全看不懂。

你这么聪明，很快就能看懂。

希望这一天早点儿到来。

咻
呜
呜

今天的参观学习到此结束。大家路上小心。

谢谢古生代老师！再见！

唰

可见光，红外线，紫外线，红橙黄绿蓝靛紫。七色彩虹七色光。

什么啊？你在念什么咒语？

你也太迷信了吧？还装聪明……

不是，真的没有，就是有点儿头晕……

我最讨厌你这种人了！

喂，这是个误会！我最讨厌被误会！

哼！

喂，喂！等等我！这是误会，误会！你怎么走那么快！

噔噔

噔噔

噗啦

抖抖

打呼噜了吗……

大家好，我是经典力学研究所的研究员。这学期由我来担任科学实验班的教学工作。

经典力学？

哇！

我们怎么上课呢？

老师好！

今天是第一节课，我们来进行分组竞赛。我请赢的那组吃炒年糕！

准备好了！老师请出题！

我一定要赢，证明给那个自以为是的女生看！

我绝不能输给那个傻瓜！

今天竞赛的主题是电路连接！

沙沙

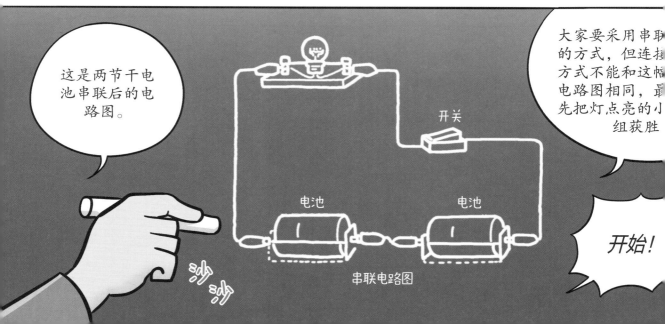

这是两节干电池串联后的电路图。

大家要采用串联的方式，但连接方式不能和这幅电路图相同，最先把灯点亮的小组获胜

开始！

开关

电池

电池

串联电路图

沙沙

这个放这里，那个放到那里！

哗

3组已经率先开始连接了。

啊，4组追上来了！

天哪！2组也不甘落后！

老师能不能安静点儿……

老师画的电路图中，两节干电池是连在一起的，那我们只要把开关放在两节电池之间就行了！

啪

啪

啪

1组完成！

2组完成！

唰

唰

神奇的结果出现了! 1组和2组几乎是同时完成的! 我们需要更精准的判定!

?

天哪! 两组用时竟然完全相同!

哈哈哈!

晕 一人分饰两角?

两组的电路连接都正确!

第一题1组和2组并列第一!

哇 哇

哼

哼

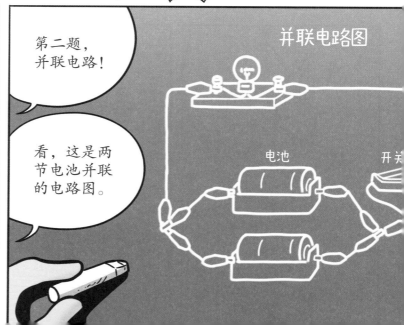

第二题, 并联电路!

看, 这是两节电池并联的电路图。

并联电路图

电池

开关

这次连接也要求和我用的方法不同！开始！

这还不容易！只要把其中一节干电池的一端接在灯泡和开关之间就行了！

唰

唰

噢！

1组完成！

哇，非常棒！这道题1组获胜！

这么快？他竟然这么擅长电路连接！

好，第三题！下面三幅电路图中，哪幅图中的灯泡最亮？

①

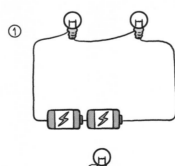

②

③

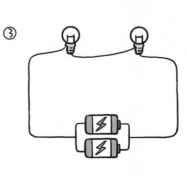

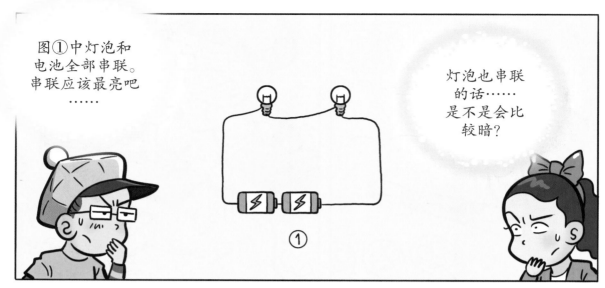

图①中灯泡和电池全部串联。串联应该最亮吧……

灯泡也串联的话……是不是会比较暗?

①

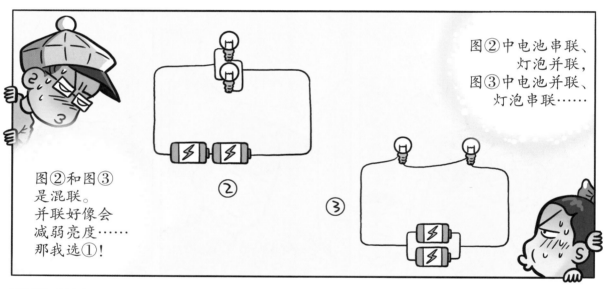

图②和图③是混联。并联好像会减弱亮度……那我选①!

图②中电池串联、灯泡并联,图③中电池并联、灯泡串联……

②

③

那么灯泡一定是并联的情况下最亮! 因为相当于只有一只灯泡!

期待

大家都选好了吗? 正确答案是什么呢?

今天的竞赛1组和2组并列第一！

哇，能吃炒年糕啦！郑小多真棒！

你们都得感谢我！

金敏书人讨厌

啊啊

2组真棒！正确答案是②。电池串联、灯泡并联时灯泡最亮。

她叫敏书？

炒年糕 炒年糕

月 啊 呜

他叫郑小多？

比萨！

紫菜包饭！

炸鸡！

自助餐！

干什么？我说了是请吃炒年糕！

不得不说，电极真的很神奇。

一般来说，正和负相遇应该是0，但它俩结合却能产生电……

难道这就是宇宙的神秘之处？正和负，男和女……

呃啊！

咻 呜 呜

我又怎么了！

就不能让我歇会儿吗？

你是谁？为什么出现在我的实验室？

啊……这个……那个……我正在学习电路……

电路？啊……所以来找我约瑟夫·汤姆孙，对吧？

啊，对……就是这样……

咦？这是什么？

这叫阴极射线管。

123

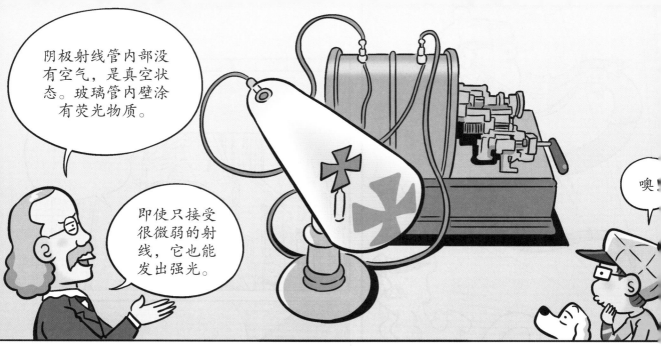

阴极射线管内部没有空气，是真空状态。玻璃管内壁涂有荧光物质。

即使只接受很微弱的射线，它也能发出强光。

噢！

关灯看看？

噢，荧光中能看到十字金属片清晰的影子。

现在……在阴极射线管内放个风车后通电……

哗啦 哗啦

不可思议！风车在转！

真空状态下没有风，为什么会这样呢？

这就是科学的力量！

不光如此。我们如果让磁铁从外面靠近玻璃管，还能看到从阴极发出的射线偏转了。

这……这简直是神奇射线管！

这说明阴极发射出某种物质，使荧光屏发光，还能使风车转动。

哗啦 哗啦

发射出什么呢？难道是……

电子？

叮

哈哈，心有灵犀！

太幼稚了……

我也认为阴极发射出的物质应该是电子。

要是……阴极的金属片不断发射出电子，那么金属片会不会慢慢变小……

你的猜想很有道理，但是金属片的大小并没有变化。

金属片确实发射出了某种物质，但它的大小并没有变化。所以我想，电子一定非常微小！

阴极发射出的粒子穿过了薄薄的金属板！

唰嗖嗖

哦，就像在雨中穿行！

准确地说，是在原子之间穿行！

后来我对原子的模型进行了思考。

？

放哪儿去了？

找到了！就像这样！

嗖

就像布丁里的葡萄干！

电子

正电荷

！

惊吓

咦!

喂，Mix！你太没礼貌啦！

Mix？它的名字叫Mix？

拖走

是的，是"混合"的意思。就像原子里带正电的正电荷和带负电的负电荷混合在一起……

还有"混血"的意思。杂交狗……

啊！

对了……Mix！难道Mix才是穿越的原因？每次穿越都有它……

总之，关于原子模型的猜想意义重大！

意义……重大？

这可是继道尔顿之后，时隔100年提出的原子模型！

嗯哈哈

这种话应该别人说吧？自己亲口说……

电流流至灯丝，
灯丝起到电阻的作用，
电能转化为光能。

灯丝

咦，小多拿的
是什么？

啊！

快放进
书包！

最初发现电子
的人是英国的
物理学家……

约瑟夫·汤姆孙！

！

小多他……
好像也没那么
讨厌。人不可
貌相啊！

写科学故事读后感……

一看书就睡着，只能写"梦后感"吧……

唉！

呼——

那写科学探究实验报告？

天天在研究所写报告的爸爸，最讨厌的词就是"报告"。

光是听到"报告"这两个字，就觉得好烦啊！

爸爸，你看完报，告诉我好吗？

"报……告"，嚯！

科学发明……去年的阴影还在，也不想选……

搞不好又会闯大祸。

刺刺刺啦

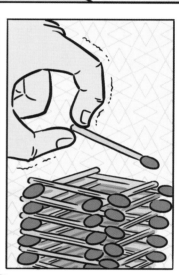

呃啊啊啊！

啪

哗啦

小……小多！

噔噔噔

出什么事啦？

哐当

实在想不出这次"科学月"活动该参加哪一项……

咕嘟

咕嘟

怒

喂！你因为这么点儿小事就吓唬爸妈！

就说是个奇葩嘛……

……

30分钟后

很好，很好！

只要再放上这根就成功啦！

抖抖

我决定啦！

吓死人了！

哗啦

我要画科学幻想画！

鼓掌

啧啧，真是做出了一个了不起的决定呢。

郑小多，拜托你小点儿声！

停住

爸爸妈妈，我有一个诚挚的请求。

什么？

这次活动，我要画科学幻想画！但这件事要绝对保密。

有个同学我不喜欢，我不想让她知道。所以你们一定要替我保密，好吗？

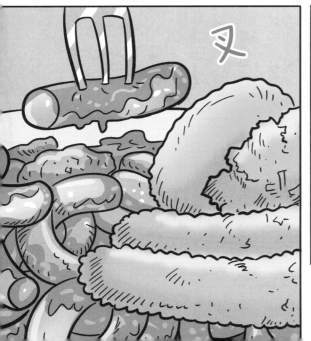

可以再要一份肠吗？
阿姨，
这边加一份肠！

还吃啊！

哇哦，
谢谢阿姨！

幸亏让
小云给我当
卧底。

好！那我也
参加科学幻想画
比赛。

郑小多，
这次我一定
要赢你！

嚼 嚼
嚼

阿姨，
这边再来
一份鱼丸！

马上就要进行
科学幻想画
比赛了，请大家
进入比赛场地！

神呀，
快赐予我超凡的
想象力吧！

嗒
嗒

好，好。
也请赐予每天
迟到的小多
超凡的腿部
力量吧。

呜哇啊呃啊!

她怎么也来了?她怎么知道的?

……

吵吵

闹-闹

啊!运气真是太差了!

真的要疯啦。座位也只剩她旁边的了!

偷喵
偷喵

瞥一眼

哎呀呀呀呀呀呀!你来这里干什么呀?天天跟着我跑?

呀×6

这不是在抢我的台词吗?

好，现在开始发画纸。接下来的两小时，请大家尽情发挥想象力吧！

科学幻想

你打算画什么呀？

你先说，我再告诉你！

保密！

哼！那我也保密！

有说有笑的，你俩关系很好吗？

你也来了？

嚯

Mix!
M——
i——x——!

来吃零食吧。地瓜干和鸡肉干。

是我最喜欢的

欢快

看你最近好像有点儿无精打采，我特地准备的。

你喜欢动植物，那就画幅动植物合体幻想画不就行了。

……

名字就叫奇怪的动植物合体生物……

咻呜呜

我开动啦！

嗖

汪！汪！

汪！汪！

唰 啊 啊 啊 啊

哈哈哈！这个时间点真是绝妙啊，呜呜呜！

别流口水了！

1911年 英国剑桥大学卡文迪许实验室

哦，来了？

三明治外卖来了啊。请放在桌子上。

这……这是哪儿？

转身

是哪儿？当然是卡文迪许实验室。我是卢瑟福教授。你这都不知道，是怎么来的？

卡文迪许……之前好像来过……

噢！

布丁很好吃呢。

也是，汤姆孙老师也爱吃三明治。

我不是送三明治的……

好想吃三明治呀。

话说这屋里怎么这么暗啊？

因为正在做非常重要的实验……

哇，好可怕！

你说……你见过汤姆孙老师？说起他……

长得像葡萄干布丁的原子模型……

噢，还真是没错。

真的很好吃……

我现在做的实验，就是为了验证汤姆孙老师的葡萄干布丁模型是否正确！

汤姆孙老师对这个模型可有信心了。

嗖

吼

所谓科学家，就是要一直带着怀疑不断地进行确认和检验！

葡萄干布丁模型到底是否正确？

倒

所以您在做什么实验呢？

就是这个！

锵

1898年，居里夫人首次发现了放射性元素——镭。

镭会发射出具有放射性的射线。

我给这种射线取名阿尔法（α）射线。

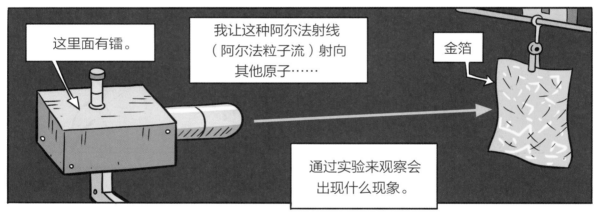

这里面有镭。

我让这种阿尔法射线（阿尔法粒子流）射向其他原子……

金箔

通过实验来观察会出现什么现象。

如果汤姆孙老师是对的，那么阿尔法粒子流就会全部穿过布丁模样的原子！

太残忍了！竟然对布丁进行阿尔法扫射！

哈哈真有趣……

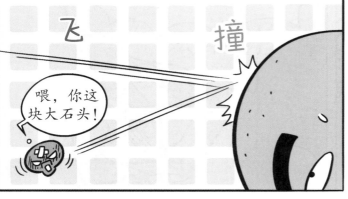

粒子撞上去之后改变方向并且被弹回，不就证明原子中间有坚硬的东西吗？

喂，你这块大石头！

飞 撞

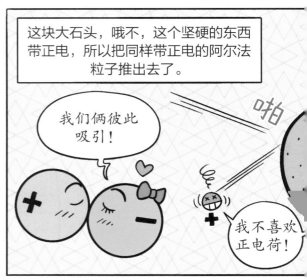

这块大石头，哦不，这个坚硬的东西带正电，所以把同样带正电的阿尔法粒子推出去了。

我们俩彼此吸引！

啪

我不喜欢正电荷！

那么……这是说汤姆孙的葡萄干布丁模型错了？

汤姆孙

正是如此！

呃 当

那么它撞到的那块坚硬的大石头……哦不，那个东西是什么呢？

梆 梆

它就是原子的核！

威风吧？

144

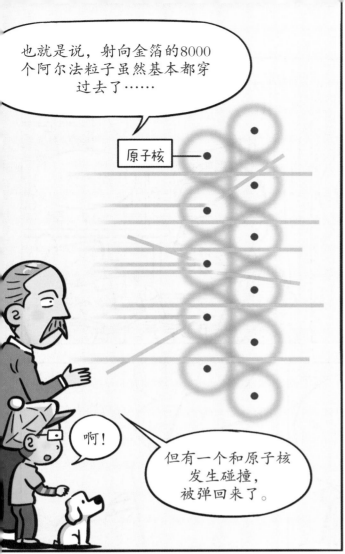

也就是说，射向金箔的8000个阿尔法粒子虽然基本都穿过去了……

原子核

啊！

但有一个和原子核发生碰撞，被弹回来了。

通过这个实验，我确定汤姆孙的葡萄干布丁模型是错误的……

嗖

并绘制了新的原子模型。

原子中心是带正电的、质量较大的核，带负电的、质量很小的电子则围绕在周围。

怎么样？像不像行星围绕在太阳周围？

科学家们真是又聪明又单纯啊！

啊
啊
啊
啊

哇哦，现在可以回去吃零食啦！

休

安——静

唰 唰

唰

我要充分发挥想象力！

好，我就画这个吧！

！

咻咻！咻！

你们就等着瞧吧……

……

哎呀，画是画好了，但是……画的是什么呀……

?

哟嘞！

……

我们交换看看怎么样？谁笑算谁输！

唉！好吧，反正我的画画水平那么糟糕，放弃吧。自尊心什么的都算了吧……

看，这是我的画。动物和植物的合体，Plantimal（动植物）！

骄傲

画得很好呢！

我……
我……

……

呃！

磨蹭什么呀，快拿来！

啪

第八话
原子核的爱情公式

科学幻想画比赛评选结果终于出来了。

我虽然画得不好看，但我的创意还是很棒的。要是运气好的话……

虽然灵感是从小多那里得到的，但是画画水平我最出色。我有希望！

好，本次科学幻想画比赛的获奖者是……

吵死啦！

当当当当！

五年级的
金敏书！

我？是我？
真的吗？

晕！

太棒了！

这不可能！

金敏书竟然是
第一名！
老师，这不可能！

可能。

这可是五位
老师一致评
选出来的。

再怎么说，
动物脸和叶子
四肢，这也太
幼稚了吧！

行了，郑小多。
幼稚的是你。

就是。

敢于承认
失败的人
才是真正
的勇士。

喷

喷

你……还记得
这是我提供的
创意吗？

嗯，谢谢啦。但是
把这个创意用画表
现出来的是我吧？

敏书，祝贺你！

鼓掌 鼓掌 鼓掌

踢 踢

垂头 丧气

我的奇思妙想竟然比不上敏书的画画水平……

也是……毕竟是画画比赛，总不能选我那幅用"脚"画的画吧。

画画真的不是难事！这有什么难的呢？

唰 唰 唰

拜托！非要来惹人厌吗？

敏书确实画得很好。果然实力还是有差距啊……

1913年
丹麦哥本哈根大学

嗷呜

喔呜喔，喔呜喔！

你，小心迪士尼来收版权费……

我的研究室里怎么有狗叫声？

？？？

！

嘶

啪！

你是不是迷路了？这里不是小孩子该来的地方，这里是大学。要送你回学校吗？

啊……我没打算去学校。

那为什么来这儿？

学校举办了科学幻想画比赛，我画了卢瑟福教授的原子模型。但是我那用"脚"画的画实在太烂了，没有得奖。

呼——祥林嫂！

什……什么？
科学幻想画？
用脚画画？

不是，等等！
你这么小就会画卢瑟福教授的原子模型？

是的！

但怎么看都是我的创意更出色啊！

行了，别说啦！

哦哦，超越爱因斯坦的孩子出现了！

举办这种比赛的学校也好厉害！

你很郁闷，所以就来找我了，是吗？

就说是的！

是，呃……算是吧……

踢

老师要是听说了这件事，一定很开心。

啊？卢瑟福教授是您的老师吗？

呜呜！作为科学家，真的好欣慰！

嗯，短短交谈几句，就发现了共同点。

长得帅这一点吗？

自恋是你的自由……

亮闪闪

这一点只适用于我吧……

好吧好吧。

不过话说回来，就像你对科学幻想画比赛结果有所不满一样……

我现在对卢瑟福教授的原子模型也不满意。

？

哇，挑战老师的学生出现了！

不是挑战，而是质疑。这可是科学的基本精神之一。

哈 哈

你竟然背叛我！

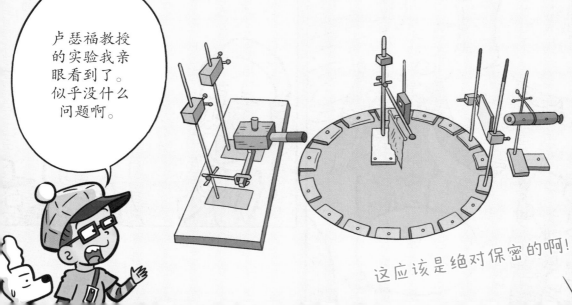

卢瑟福教授的实验我亲眼看到了。似乎没什么问题啊。

什么？你说你亲眼看到了？

这应该是绝对保密的啊！

射向金箔的8000个阿尔法粒子中有一个被弹回来……

有点儿心慌……

你到底是谁？！

啪

看！果然。

我非常崇拜卢瑟福教授……

我不管了。

嘻

转身

是吗？他真的很伟大！我也这么觉得！

呼

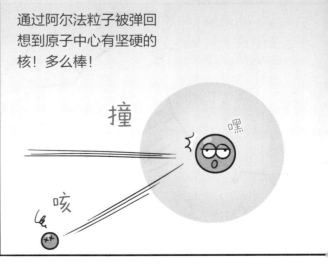

通过阿尔法粒子被弹回想到原子中心有坚硬的核！多么棒！

撞

嘿

咳

所以卢瑟福教授说原子模型长这样……

没错！他是这么认为的。

大石头原子核？

那我来问你。

?

原子模型里电子带正电还是负电？

这个嘛，当然带负电了。

那么原子核呢？

带正电！

根据电动力学，电子绕原子核做加速运动，应不断对外辐射电磁波，这样电子的能量就会减少，然后会怎么样呢？

电子被原子核吸过去?

是的,没错。

原子核

能量减少后,电子的速度就会变慢,最后电子会被原子核吸过去。

像这样!

啪

咳!

!

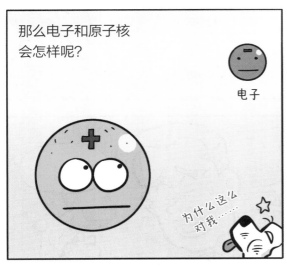

那么电子和原子核会怎样呢?

电子

为什么这么对我……

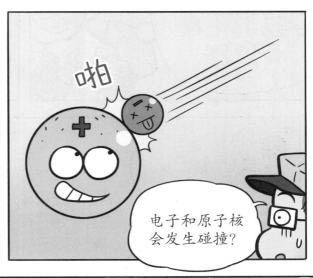

啪

电子和原子核会发生碰撞?

没错……应该是这样才对吧?

好可怕的表情……

斯

怒

但是为什么!

哎哟!

在卢瑟福教授的原子模型中，电子为什么没有和原子核发生碰撞，而只在其周围转圈呢？

难道……

难道？

这是电子对原子核的单相思？

只在周围环绕

我喜欢它，怎么办？

我不管

不管

哧溜

那对人类才说得通！在微观世界一定是有其他原因！

啊！

你看，巴耳末老师的氢原子光谱是不连续的线状光谱。

氢

我记得，线状光谱！

因此——

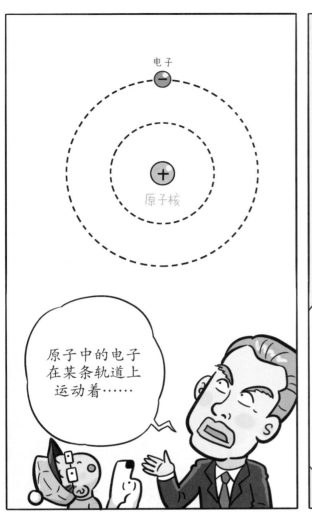

原子中的电子在某条轨道上运动着……

向其他轨道跃迁时，电子会以光子的形式释放能量，因此才产生了线状光谱？

！

您是说一个电子拥有多条轨道？

没错。

也是，人生的路也不止一条啊。

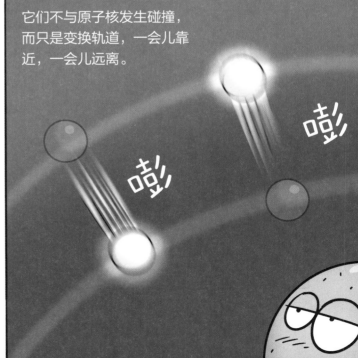

它们不与原子核发生碰撞，而只是变换轨道，一会儿靠近，一会儿远离。

每种原子的轨道数量都不相同。

轨道数量不同，电子数量也不同。

电子数量不同，原子的种类也不同。

原子核

电子

这么看来原子核一定是个暖男。所以许多电子喜欢它，并围绕在它周围……

好羡慕……

呀

呀

哇

嘻嘻

哎呀

不对，也许是美女？

哈哈

哇

哈哈

哇

不要再说这种话了！

汤姆孙提出了葡萄干布丁模型。

卢瑟福认为电子围绕原子核按一定的轨道运动……

原子核

电子

尼尔斯·玻尔则认为电子变换着轨道绕原子核运动。

零食……
Let it go.

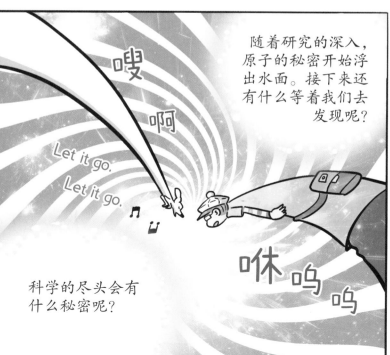

嗖

啊

Let it go.
Let it go.

咻呜呜

科学的尽头会有什么秘密呢?

随着研究的深入,原子的秘密开始浮出水面。接下来还有什么等着我们去发现呢?

第二天早晨

慢慢

吞吞

第九话
和牛顿
一起过周末

太阳都晒屁股了，居然没有一个人起床！

虽然今天是星期天，但这也太过分了吧！

汪汪汪汪了个汪！

给我吃的！

寂——静

太过分了……

呼——

呼——

这也太懒了吧。

树懒都没这么懒！

扑腾

艾哟哟哟哟哟！

妈妈，我饿了。快给我吃的！

舔舔 舔舔

让爸爸喂你！

哗

晕！

爸爸，快给我吃的！

哎嘿嘿嘿嘿嘿！

舔舔 舔舔

！

啪

？

嘀 嘀 嘀

来短信了！

！

今天轮到你照顾Mix。还不快起来给它准备吃的！

咳

咳！

知道了，知道了！

砰

？

骨碌碌

骨碌碌

懒得都不想站起来？

哗啦

狗粮

过分了……

给

晕，要想躺回床上，怎么都得站起来吧？

骨碌

骨碌

嘿哈！

唰

嗖

牛顿真是伟大啊。

咔嚓

用万有引力定律解释了苹果和行星的运动！

啪

要是我，看到苹果掉下来，应该只想着捡起来吃了……

啪

好好吃的样子！

不对，也许我也能发现什么定律呢。

免费苹果更好吃的定律！

咔嚓
咔嚓

科普漫画真有趣啊。

知识和漫画相结合！再难的内容也变得很好理解……

咔嚓
咔嚓

看漫画学物理 趣牛的牛顿

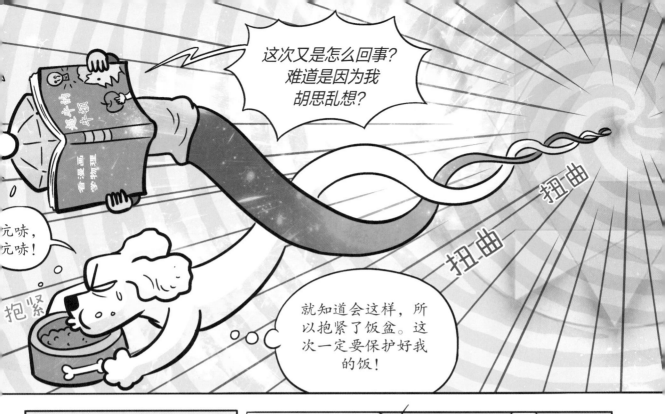

1665年
英国东部伍尔索普

清醒一点儿!

咬

没什么啦!

吓一跳

初次见面。我叫郑小多,经常听说您……

听说您很聪明……

抖 抖

啊哈,看来都传遍了。没错,我确实比较聪明。

看起来比做三棱镜实验时年轻……

请问您多大了?

22岁,怎么了?

啊,原来来到了牛顿年轻的时候。

居然又见到了他,这种情况还是第一次发生!

总之,我现在没空和你聊天。你要是没事就快走吧。

我现在······

正忙着思考······

咻

苹果为什么会掉到地上。

啪

到底是为什么？为什么苹果会往地上掉？

说明苹果熟了，能吃了？

咔嚓

哎哟喂

你竟然用如此简单粗暴的想法来解读伟大的自然法则！清醒点儿吧！

嚯！

你想想。苹果要是不落地，而像这样乱飞，那会如何？

Let it go!

Me,too.

那也太奇怪了吧？

很奇怪吧？

所有人都认为苹果落地理所当然，所以谁也没有去想这是为什么。

啪

世界上没有理所当然的事。任何事背后都有原因！

唰

唰

为什么地上的沙不朝天上飞？

为什么人类无法飞向高空……

为什么……

嘿！

跳起来会落回地面！

弹跳力很一般啊……

啪

好吧。我见过太多像你这样不懂装懂的人了。

呼——好险!

苹果落地……

啪

是因为宇宙万物之间都有相互吸引的力。这就是万有引力定律!

就算你以非常非常大的力量将石头扔出去……

暴风投球!

石头也会因引力的作用而无法飞离地球……

而会绕地球飞一圈后打在你的屁股上。

碎

哎哟!

当然,前提是没有障碍物。

啊，原来人造卫星能不脱离地球、一直绕着地球转的原因就是这个！

那么……苹果是因为比地球轻，所以被地球吸引过来了？

哟！

没错。看来你也不光会吹牛啊。

那当然！

不知不觉，月亮升起来了。

不仅是苹果，天上的月亮也是如此。

为什么月球没有
飞离地球，

拜拜！

也没有与地球发生碰撞，
而一直绕地球转？

砰

呃啊！

因为地球对月球的
引力使月球无法飞
离地球。

哈哈哈哈！

哈哈！

哇哈哈！

你好！

力、运
动……人们
知道这几个
简单的词所
包含的重大
意义吗？

我认为宇宙
是按照三大
运动定律运
行的。

第一，惯性定律

任何物体在不受外力作用时，总保持匀速直线运动或静止状态。

呜嗡

第二，加速度定律

物体加速度的大小跟作用力成正比，跟物体的质量成反比。

第三，作用与反作用定律

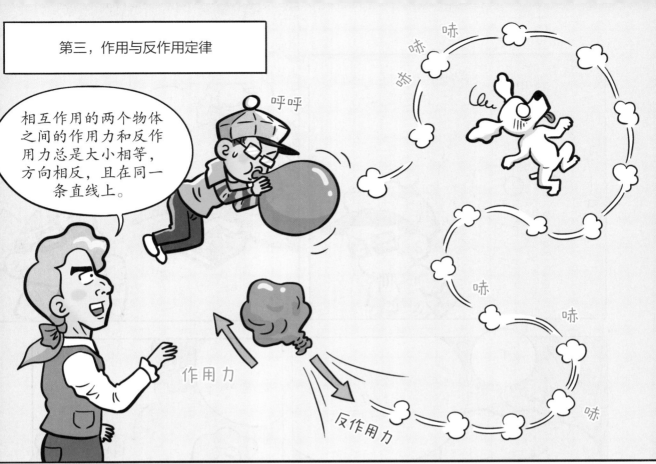

相互作用的两个物体之间的作用力和反作用力总是大小相等，方向相反，且在同一条直线上。

呼呼

作用力

反作用力

轰隆

火箭发射时，燃料燃烧产生的气体向下喷出，火箭向上运动，也体现了这条定律。

不愧是近代科学界最有影响力的科学家。

接下来该研究光了！

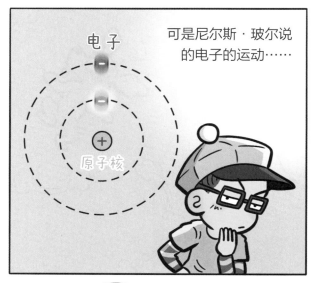

可是尼尔斯·玻尔说的电子的运动……

电子

原子核

?

无法用牛顿运动定律来解释。

!

所以近代的量子力学和经典力学属于不同的分支。

咦？

看漫画学物理

趣牛的牛顿

这，这是……

啊！

这是以我为人物形象画的漫画书？

不是！您都忘了吧！

看漫学物

啪

您看到哪里了？

只看了开头……

你竟然偷偷观察我……你到底是谁?

快站住!

我先走了!

嗖

可是怎么办呢?

要怎样才能回到未来?

之前都能自动回去,今天怎么不能?

哎呀,我的三棱镜!

噔 噔

唉,应该是夹在他的书里了。

噔噔噔

咦？

咻呜呜

这不是三棱镜吗？

太好了！这次也顺利回去了！

咻-啊-啊

Mix，你这死守饭盆的精神太了不起了！

牛顿真伟大啊。能总结出这么多定律。话说我得赶紧找到穿越时空的原因啊……

超牛的牛顿

漫画学物理

嘟囔

嘟囔

嘟囔

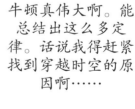

嘟囔

嘟囔

嗖

小多和Mix有趣的量子力学时空穿梭之旅，下一册继续！

横七竖八
纵横填字游戏

→ 横向

1. 古希腊哲学家恩培多克勒提出的学说，他认为世间万物都由水、火、土、气构成。德谟克利特反对此学说并提出了原子论。

4. 英国化学家，他在前人提出的关于物质的各种定律的基础上，提出了自己的原子论。也是最早对色觉异常进行研究的人。

7. 由不连续的亮线组成的光谱。

↓ 纵向

2. 为了说明原子的结构而画的简图。汤姆孙画的像葡萄干布丁，卢瑟福画的像太阳系。

3. 丹麦物理学家，改进了卢瑟福的原子模型，提出了新理论，成功解释了为什么氢原子光谱是线状光谱。

5. 英国物理学家，曾用三棱镜研究光，成功解释了苹果和月亮的运动。

6. 肉眼可以看见的光。瑞士物理学家约翰·巴耳末对氢原子光谱中这个部分的谱线进行了研究。

答案见第192页。

找出他是谁！绘图方块逻辑游戏

哈，和我英俊的脸庞一模一样……

艾萨克·牛顿

横七竖八 纵横填字游戏

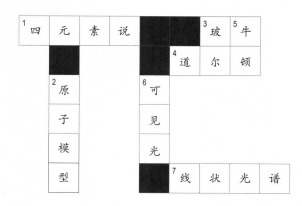

초등학생을 위한 양자역학 1（Quantum Mechanics for Young Readers）

Copyright © 2020 by 이억주（Yeokju Lee, 李亿周），홍승우（Hong Seung Woo, 洪承佑），Donga Science, 최준곤（Junegone Chay, 崔峻锟）

All rights reserved.

Simplified Chinese language edition is arranged with Bookhouse Publishers Co., Ltd through Eric Yang Agency.

Simplified Chinese translation copyright © 2022 by Beijing Science and Technology Publishing Co., Ltd.

著作权合同登记号　图字：01-2022-1348

图书在版编目（CIP）数据

量子物理，好玩好懂！ .1，时间旅行开始了 /（韩）李亿周著；（韩）洪承佑绘；王忆文译 . —北京：北京科学技术出版社，2022.11（2024.3重印）

ISBN 978-7-5714-2209-7

Ⅰ . ①量… 　Ⅱ . ①李… ②洪… ③王… 　Ⅲ . ①量子论 – 儿童读物 　Ⅳ . ① O413–49

中国版本图书馆 CIP 数据核字（2022）第 048642 号

策划编辑：刘珊珊	邮政编码：100035
营销编辑：贺琳子　王艳伟	电　　话：0086-10-66135495（总编室）
责任编辑：樊川燕	0086-10-66113227（发行部）
责任校对：贾 荣	网　　址：www.bkydw.cn
封面设计：北京弘果文化传媒	印　　刷：北京宝隆世纪印刷有限公司
图文制作：天露霖	开　　本：787 mm × 1092 mm　1/16
责任印制：张 良	字　　数：153 千字
出 版 人：曾庆宇	印　　张：12.25
出版发行：北京科学技术出版社	版　　次：2022 年 11 月第 1 版
社　　址：北京西直门南大街 16 号	印　　次：2024 年 3 月第 4 次印刷
ISBN 978-7-5714-2209-7	

定　价：56.00 元

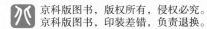